Ludovico Einaudi

[Stanze]
versione originale per pianoforte
original version for piano

RICORDI

a tutti quelli che continuano a tenere il fuoco acceso
to all those who keep the fire burning

INDICE | CONTENTS

Ludovico Einaudi
NOTTE

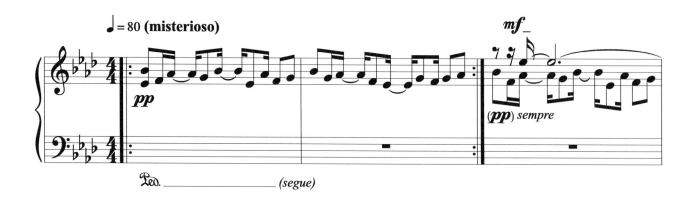

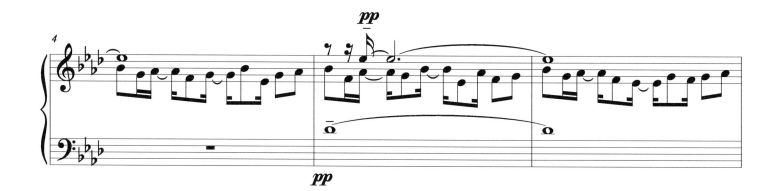

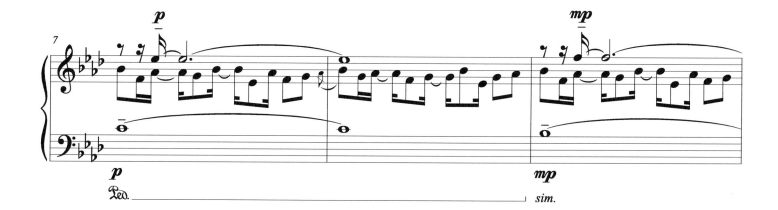

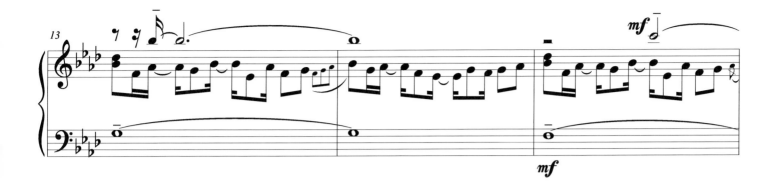

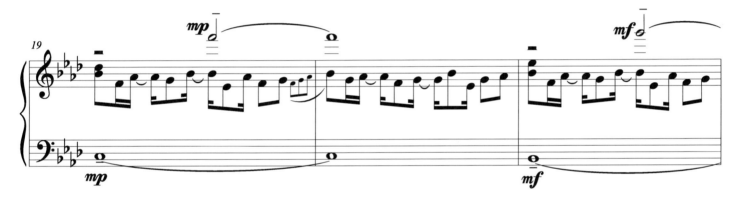

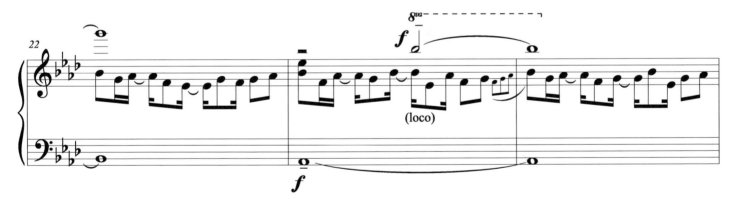

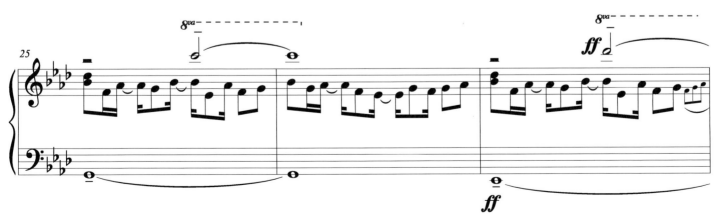

6

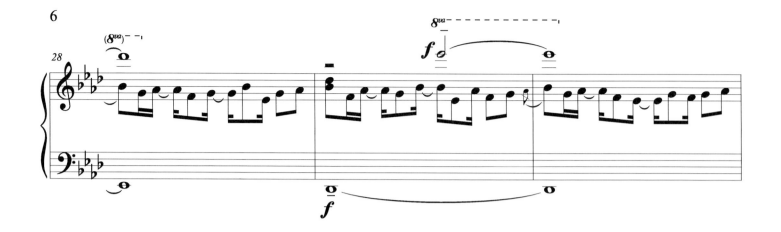

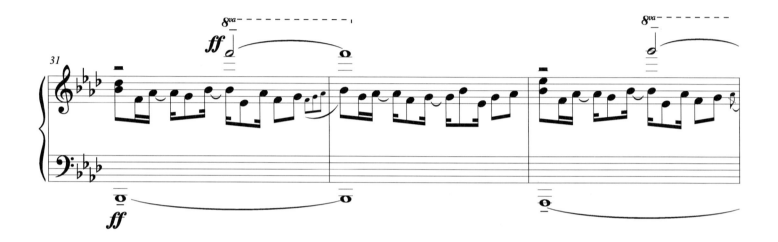

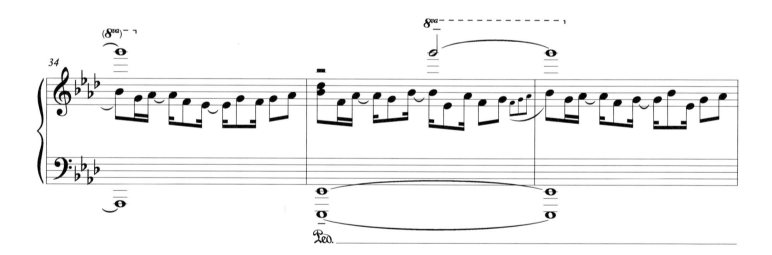

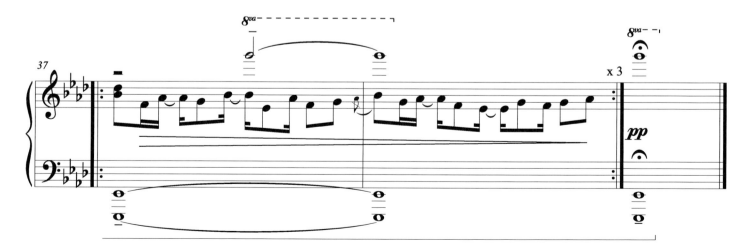

Ludovico Einaudi

CALORE

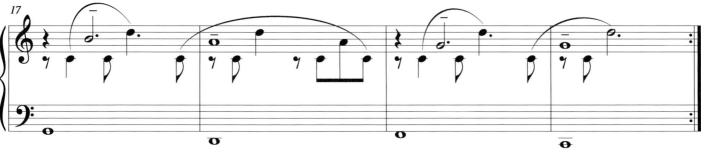

136469

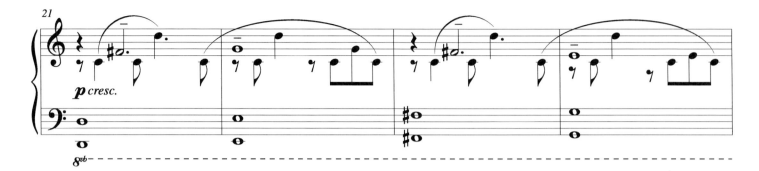

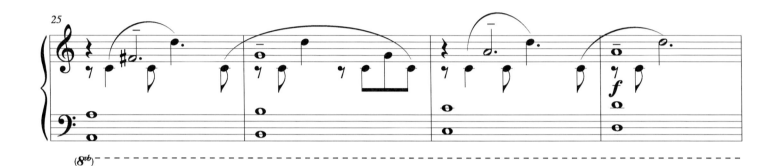

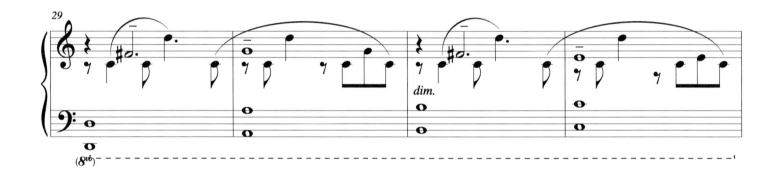

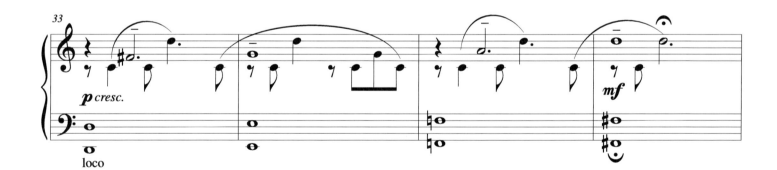

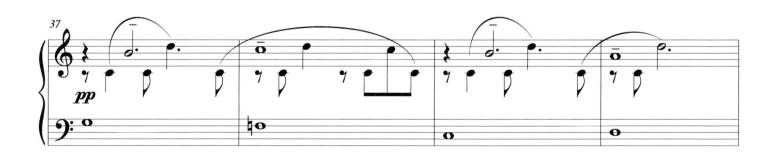

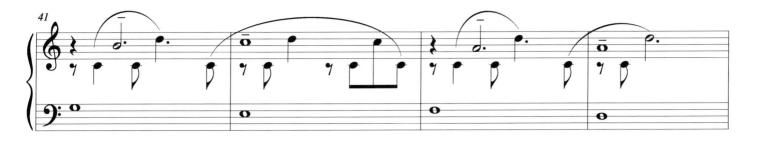

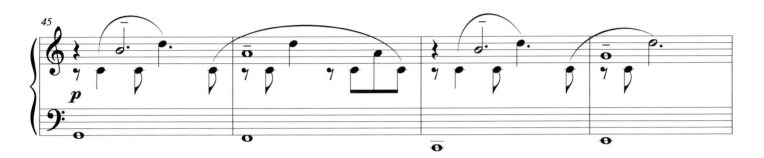

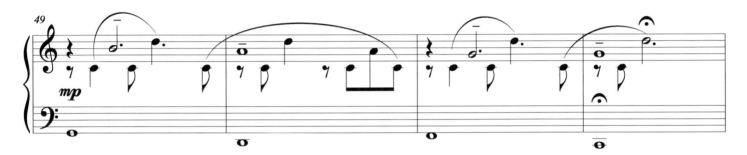

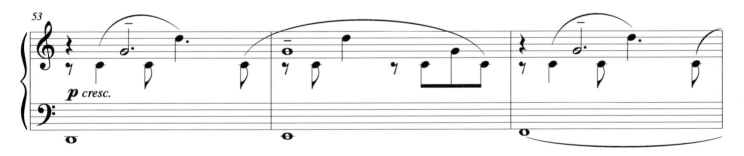

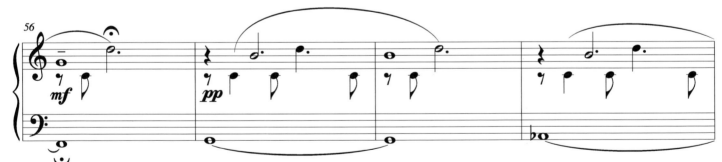

poco rall. _   molto rall.

Ludovico Einaudi

MOTO

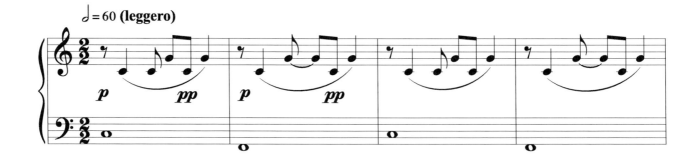

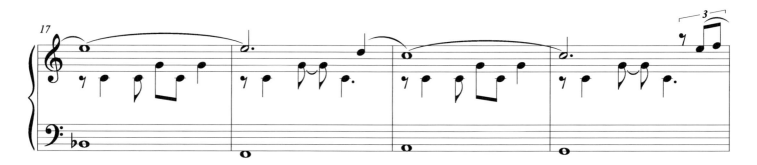

136469

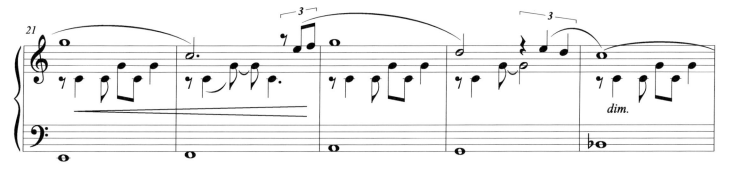

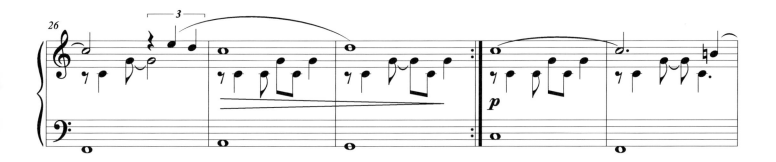

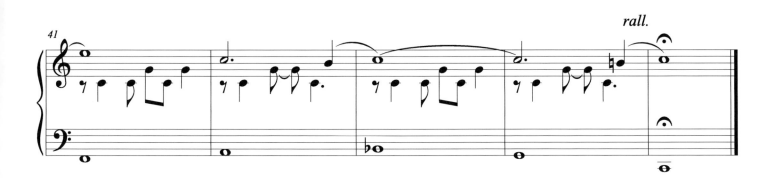

Ludovico Einaudi
CALMO

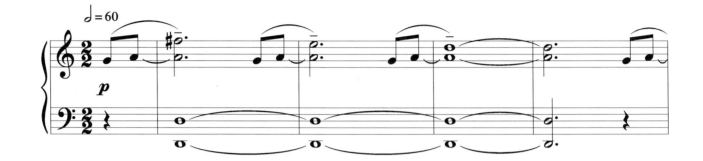

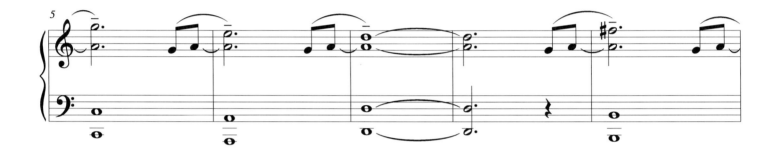

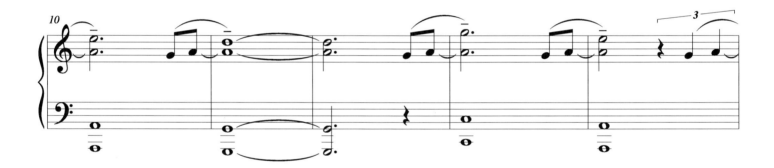

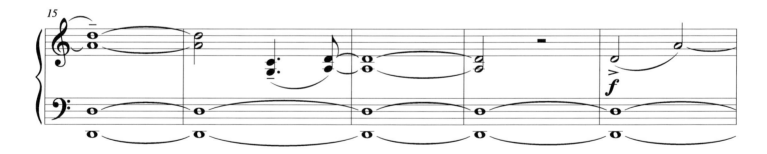

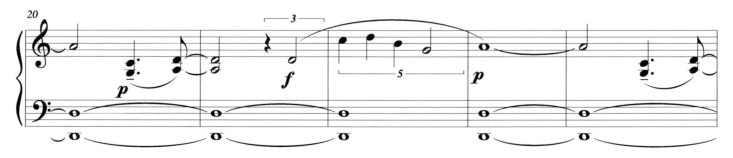

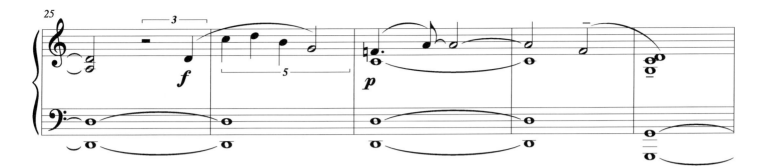

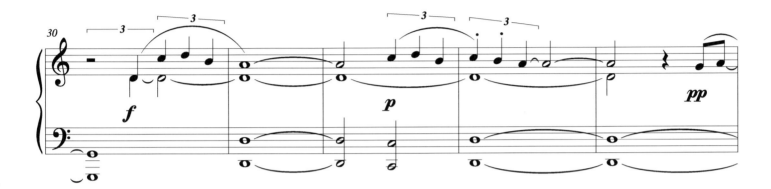

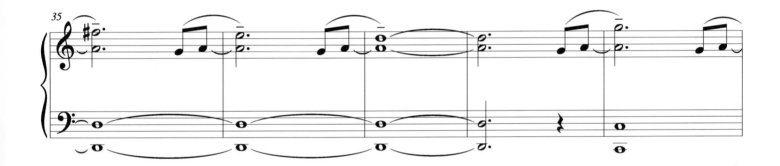

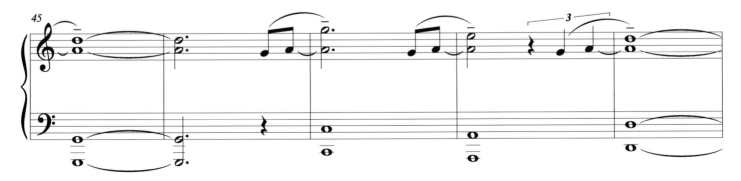

14

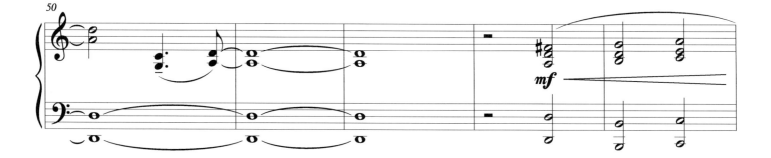

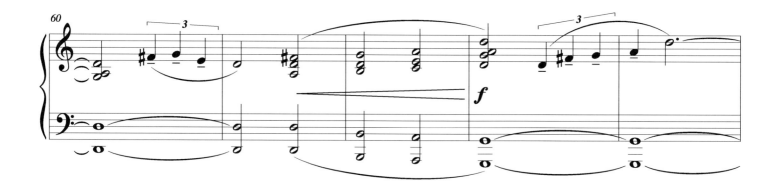

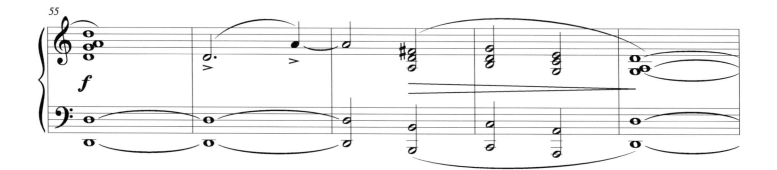

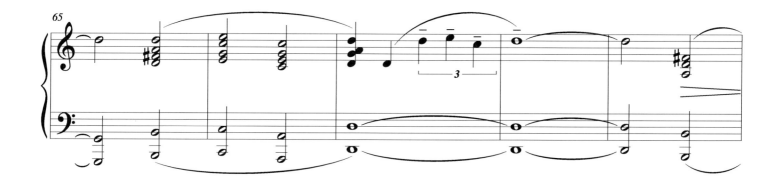

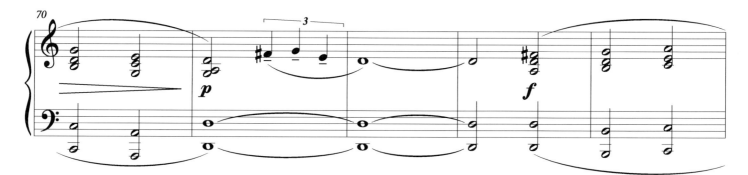

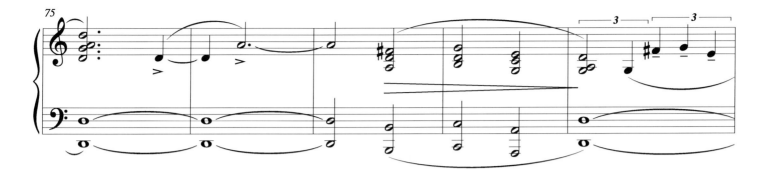

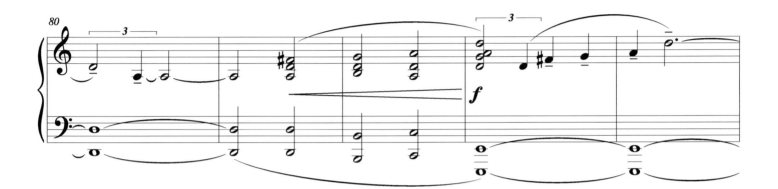

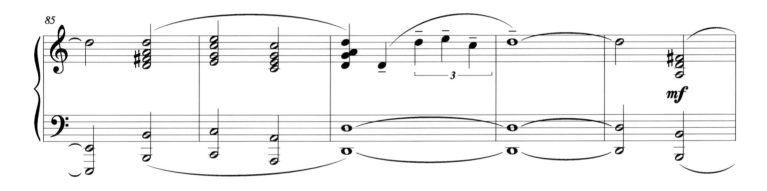

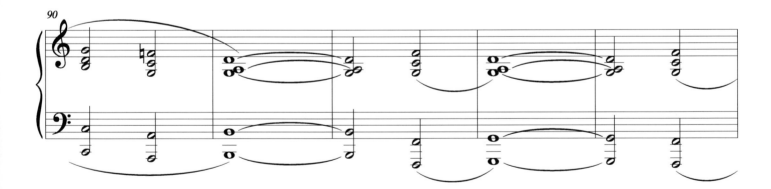

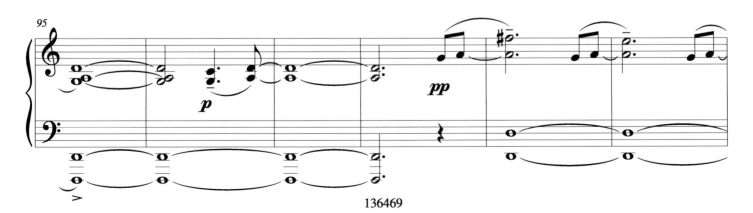

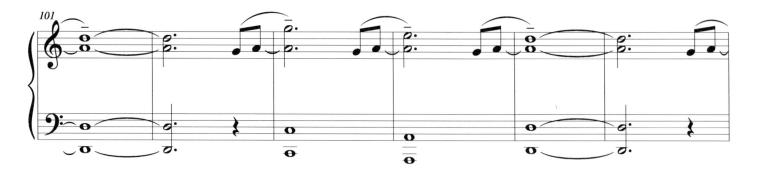

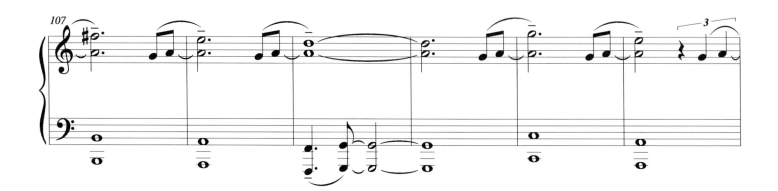

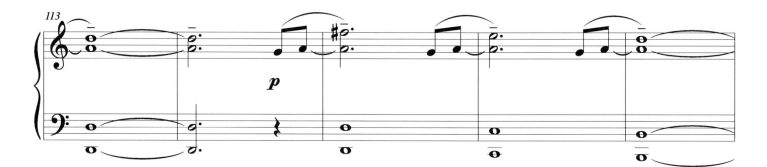

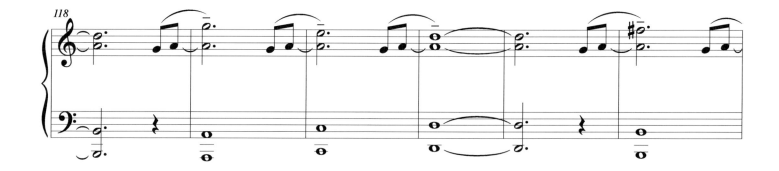

Ludovico Einaudi
VEGA

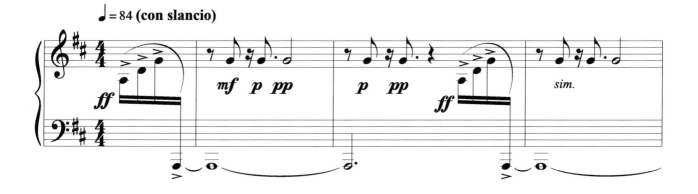

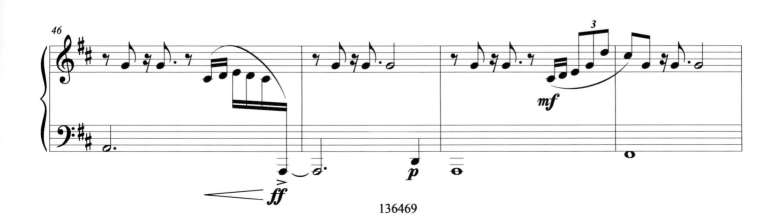

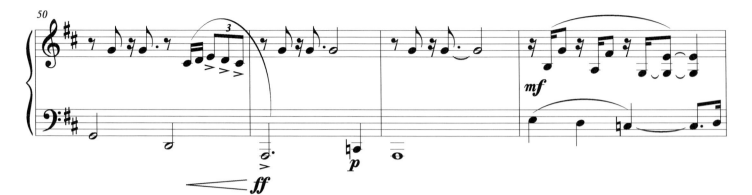

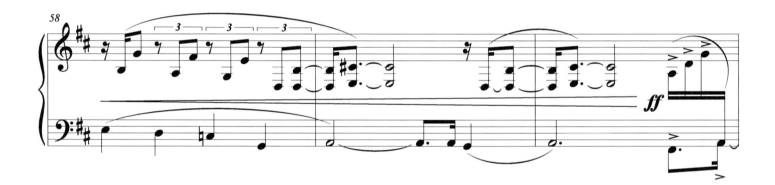

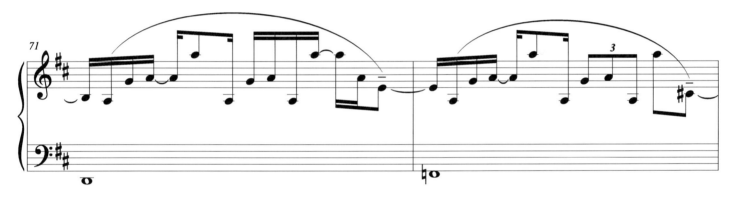

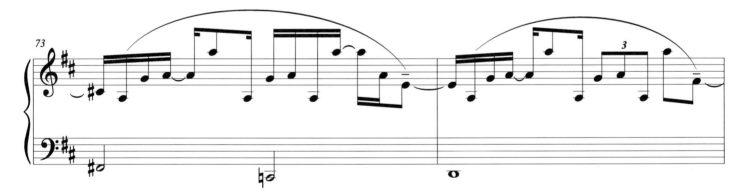

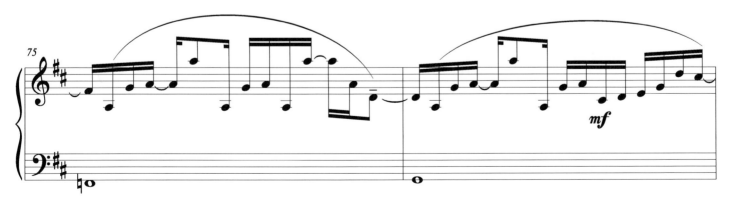

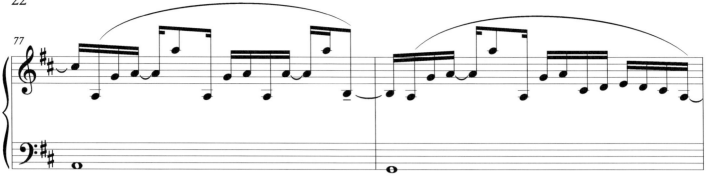

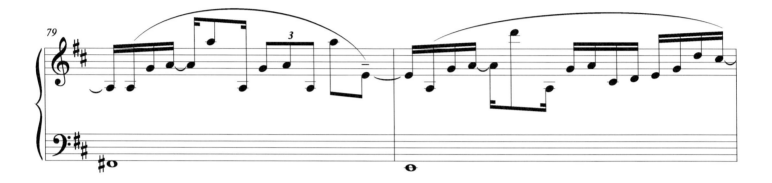

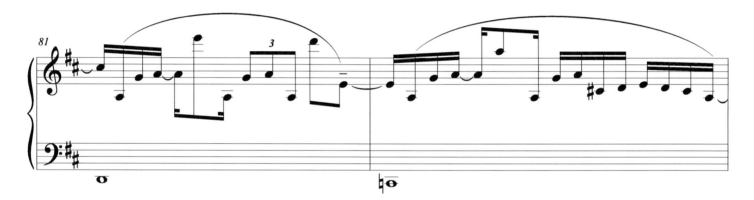

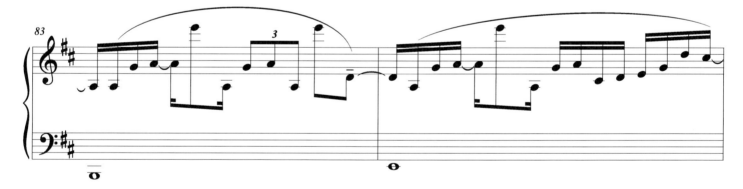

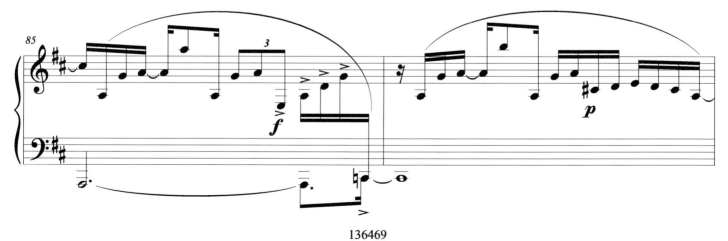

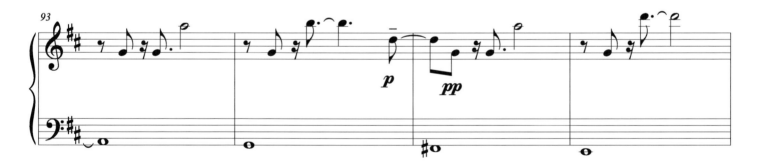

Ludovico Einaudi

ONDA

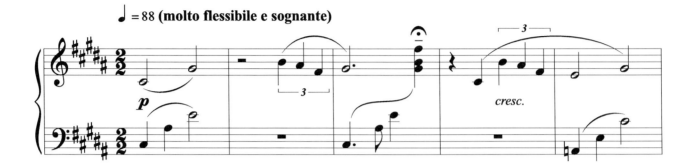

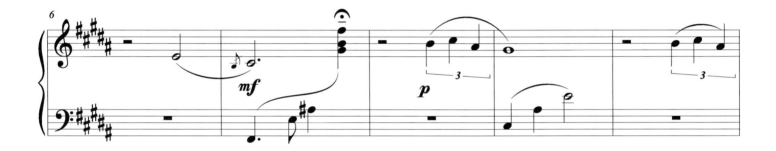

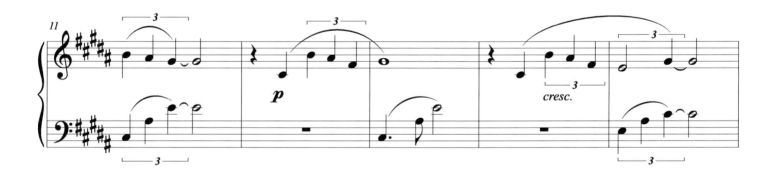

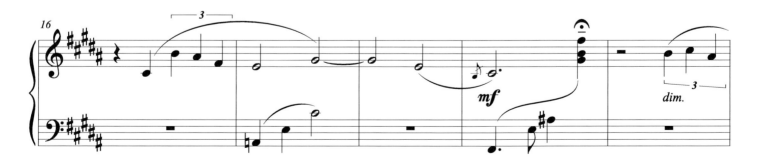

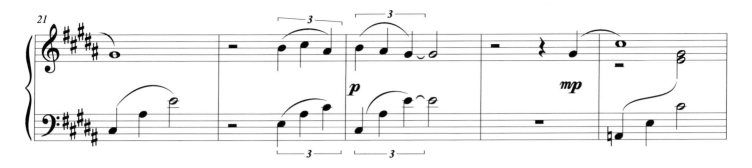

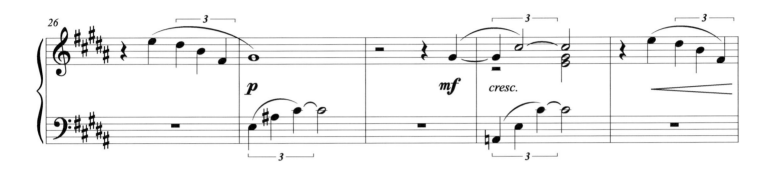

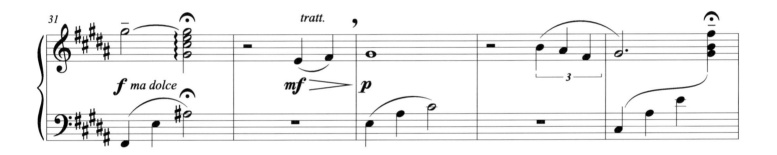

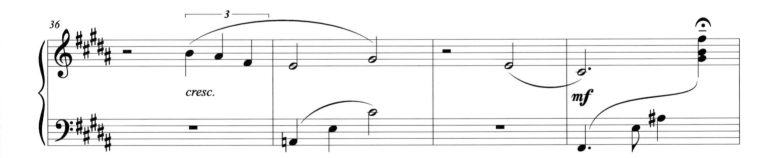

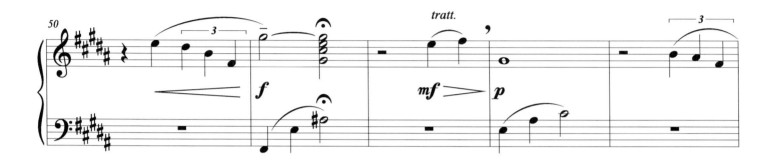

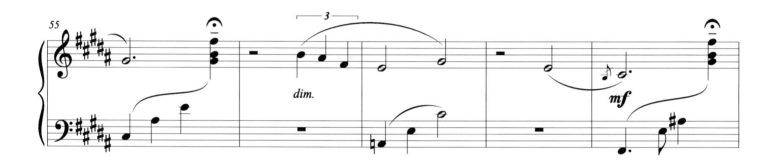

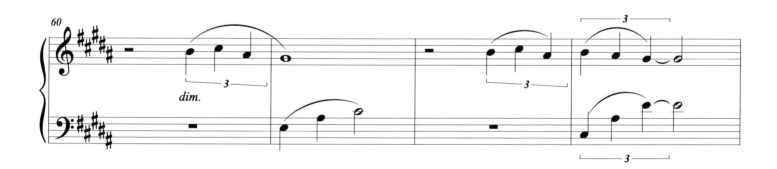

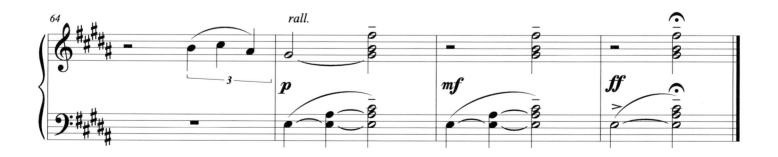

Ludovico Einaudi
CONTATTI

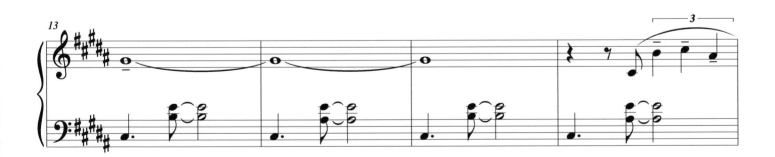

136469

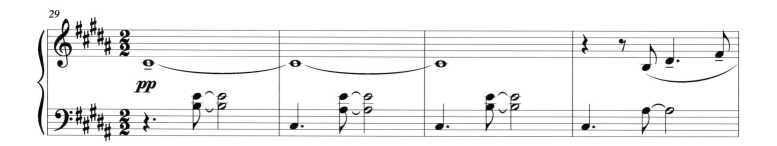

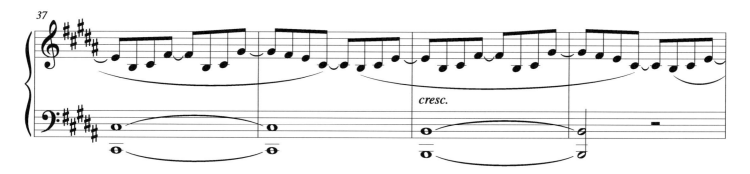

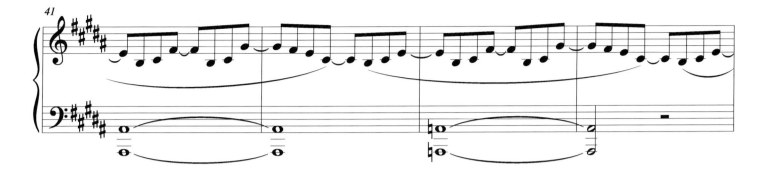

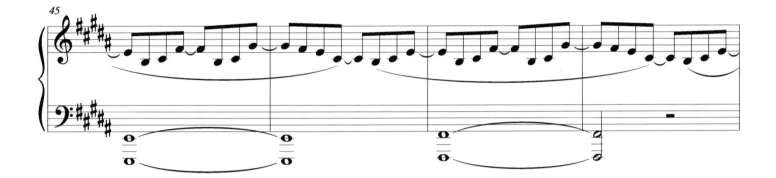

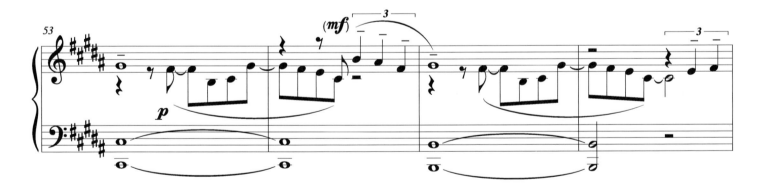

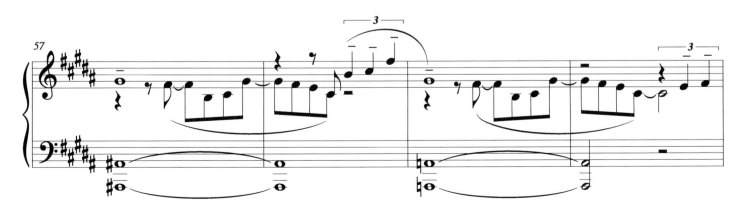

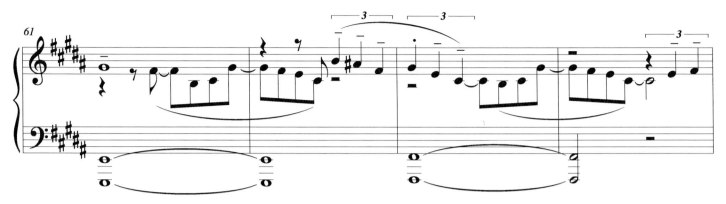

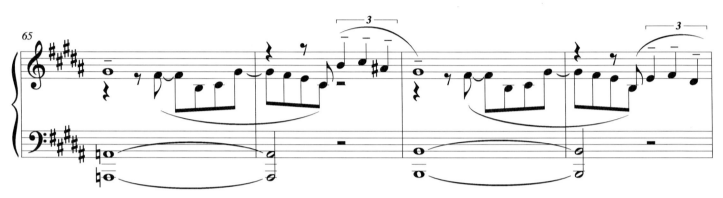

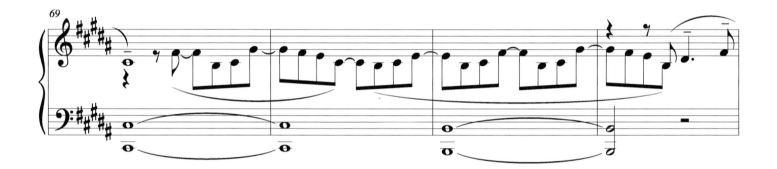

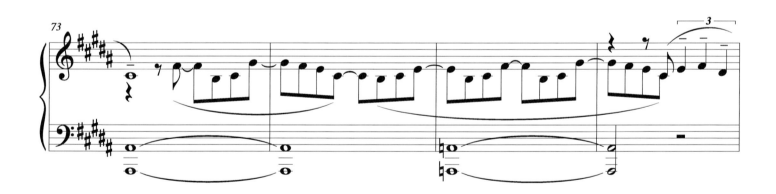

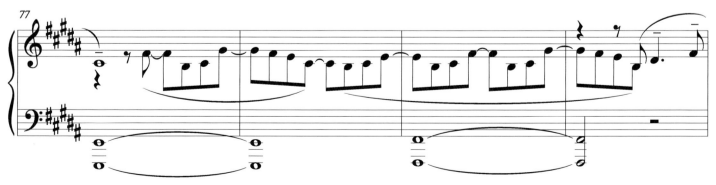

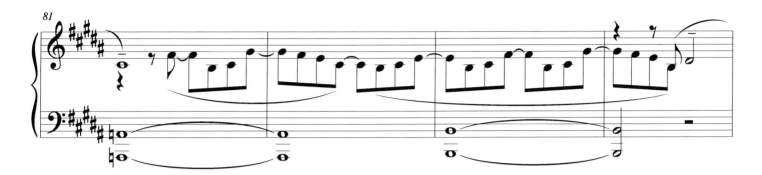

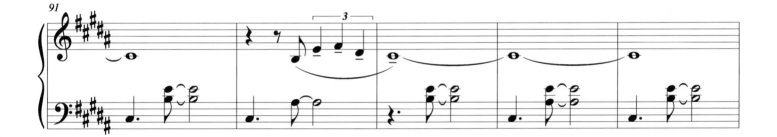

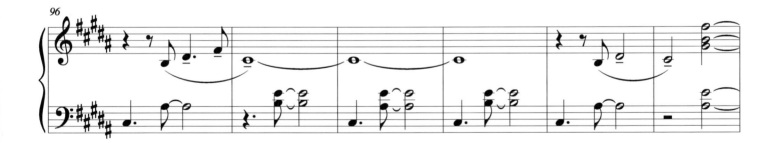

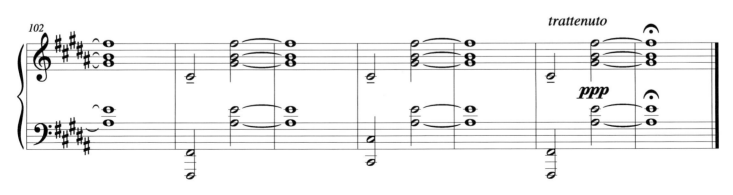

Ludovico Einaudi
RESPIRO

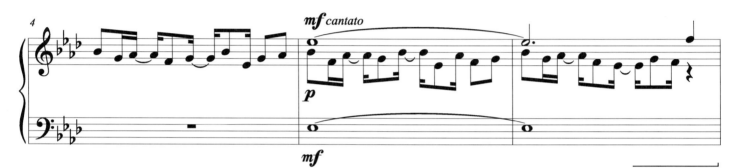

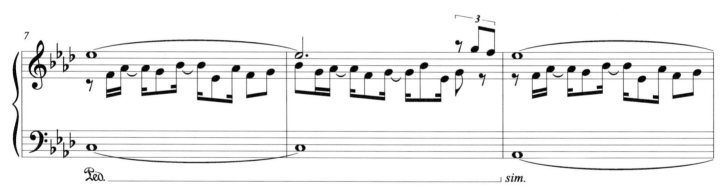

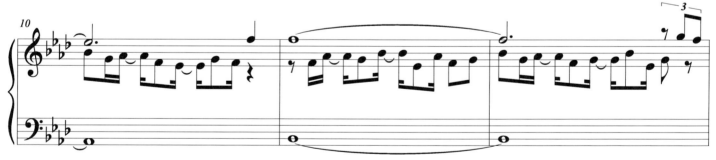

136469

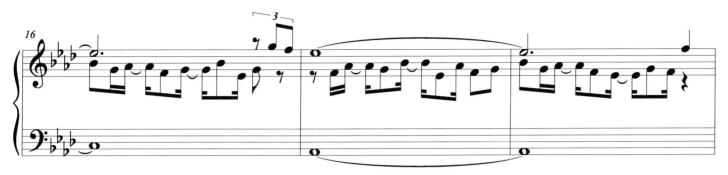

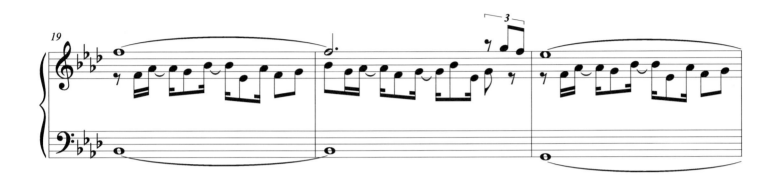

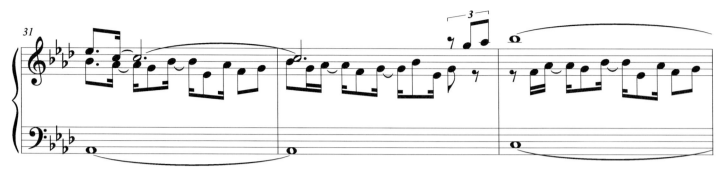

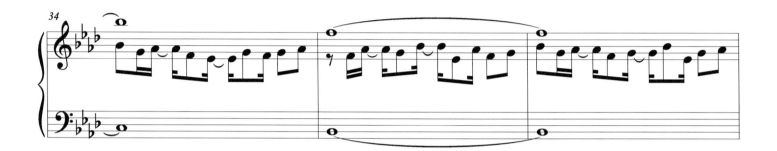

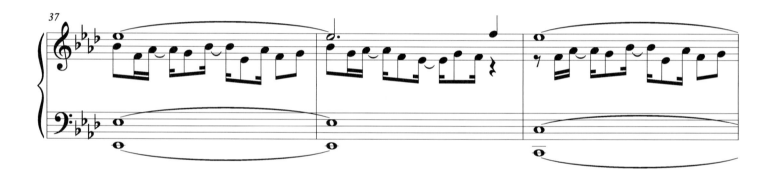

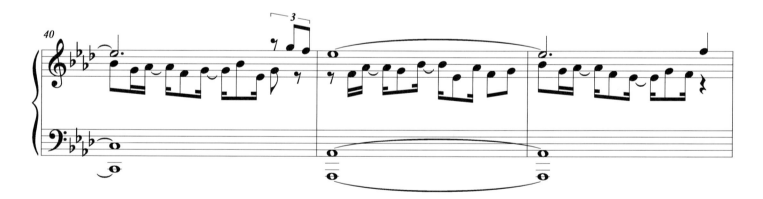

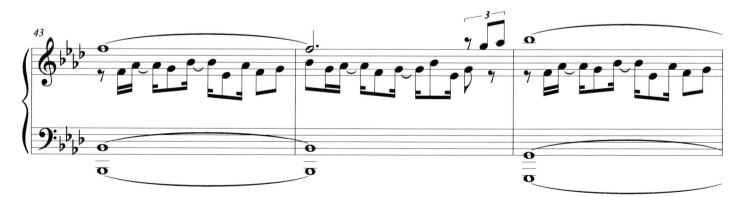

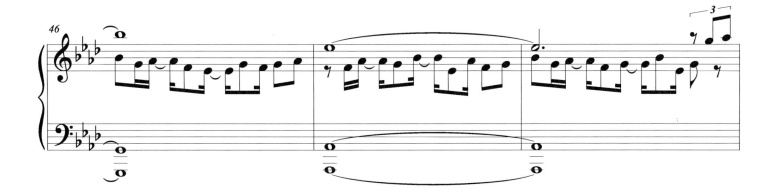

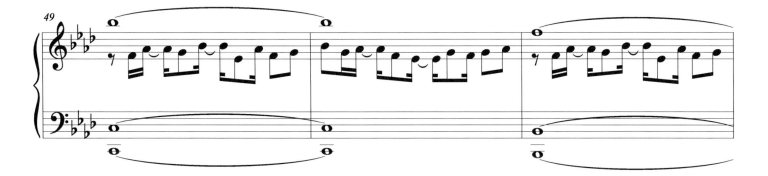

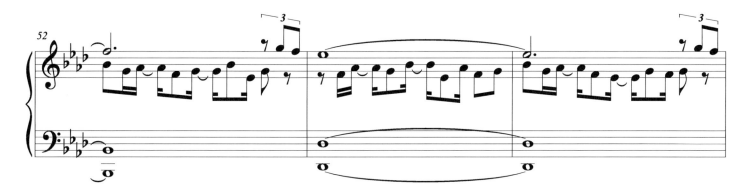

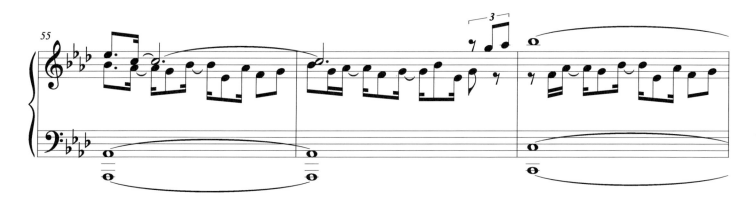

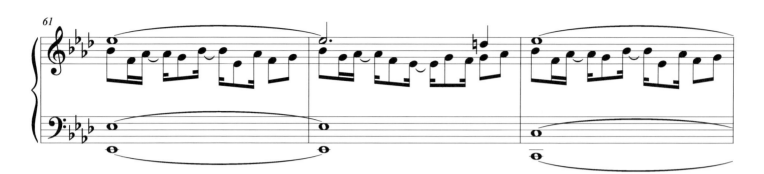

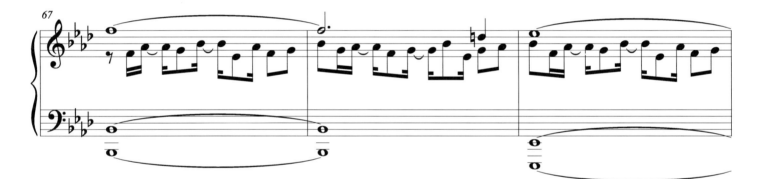

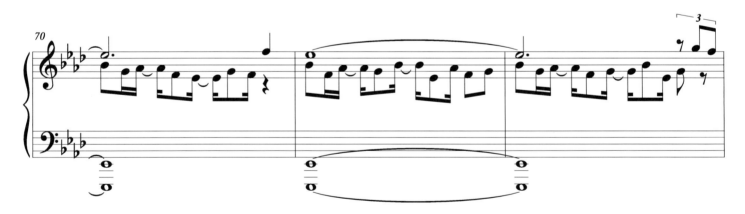

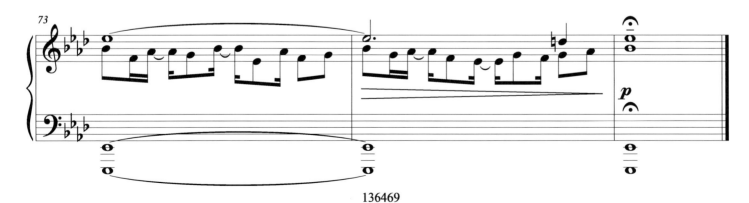

Piano generale dell'opera (autografo dell'autore) · Collezione privata
General outline of the work (author's autograph) · From a private collection

Ludovico Einaudi
LENTO

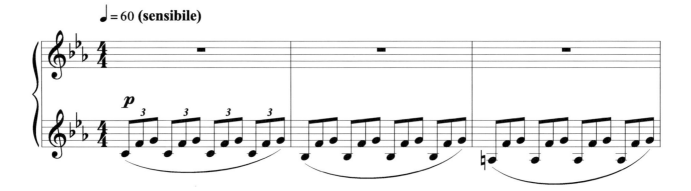

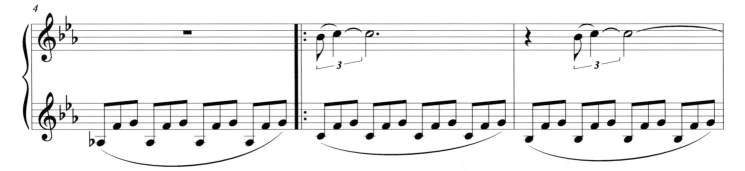

136469

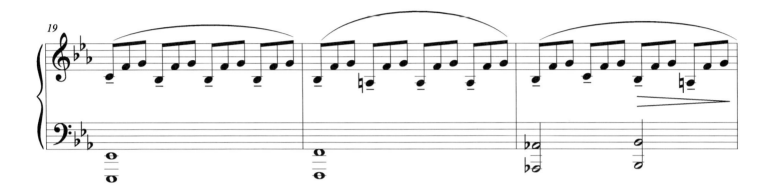

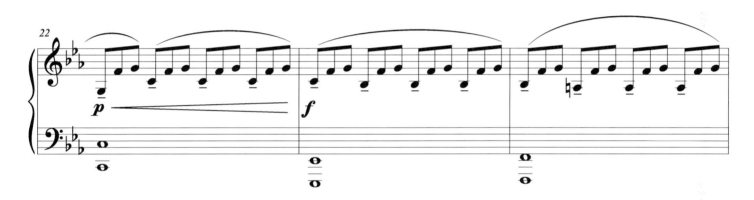

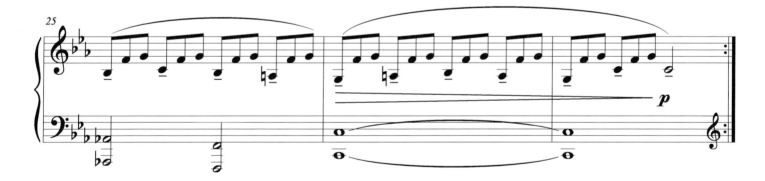

Ludovico Einaudi

ATTESA

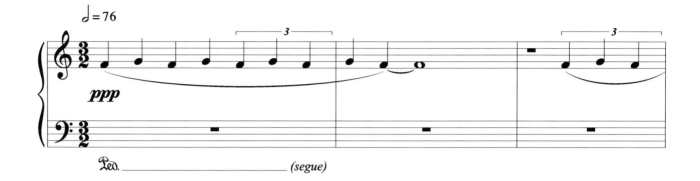

136469

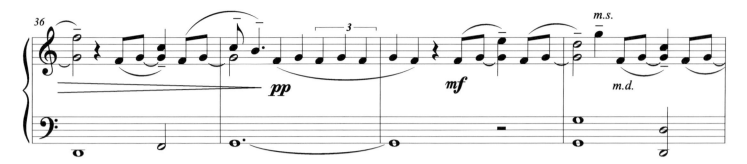

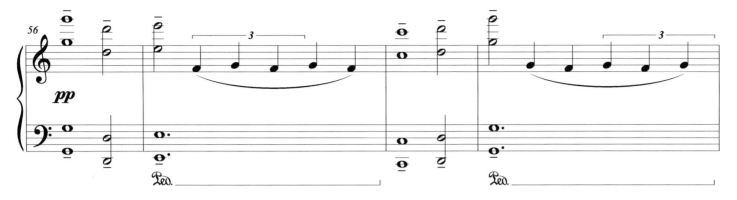

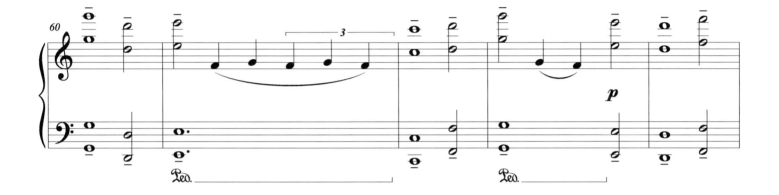

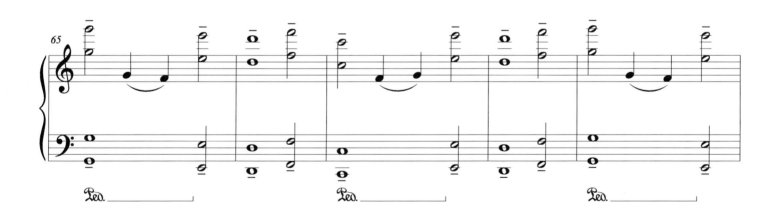

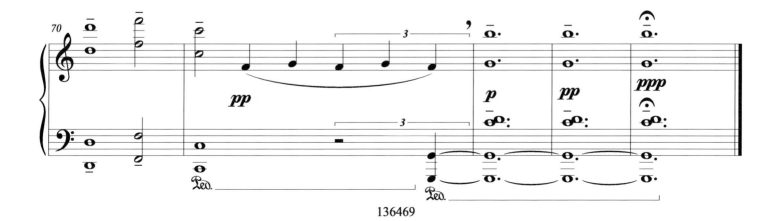

Ludovico Einaudi

CADENZA

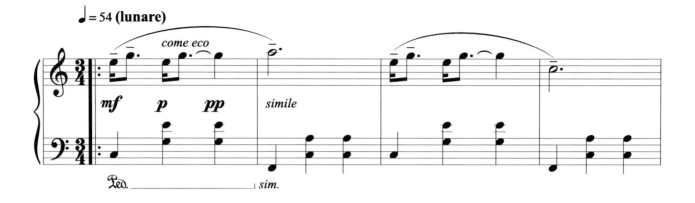

136469

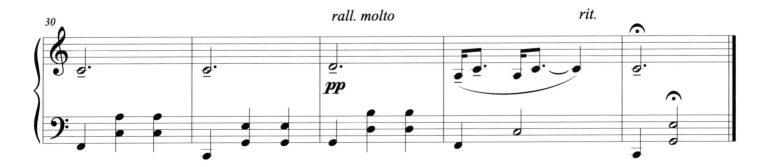

Ludovico Einaudi

ORBITE

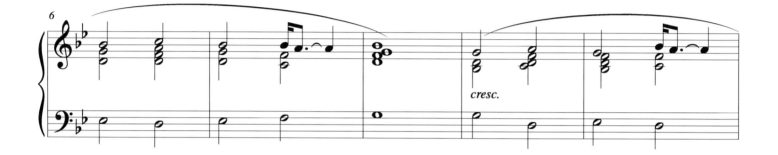

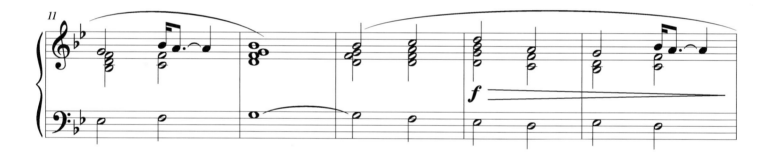

136469

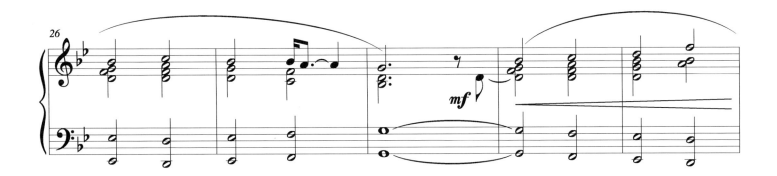

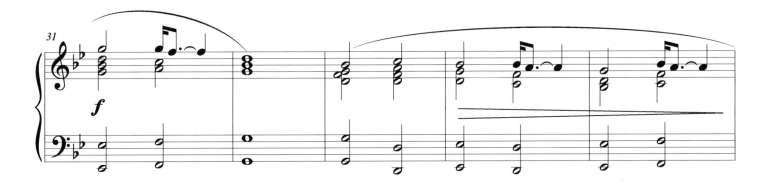

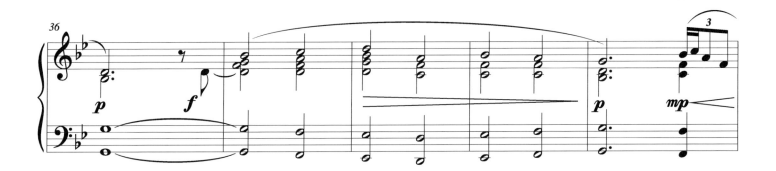

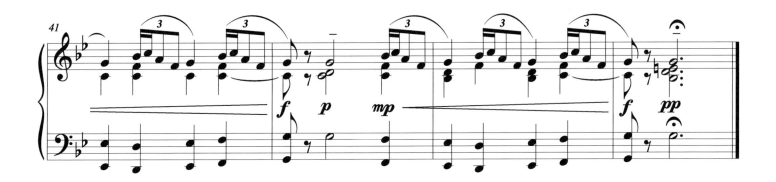

Ludovico Einaudi

MOTO PERPETUO

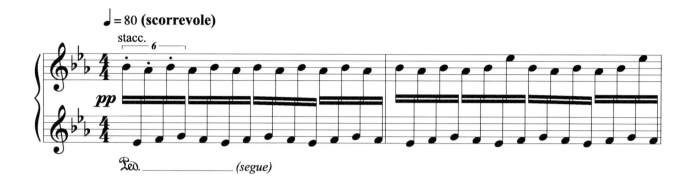

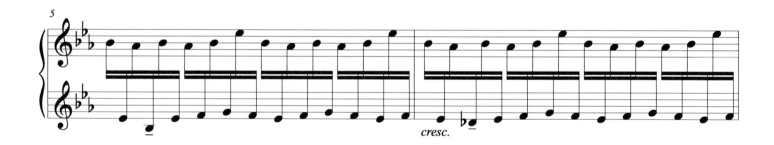

136469

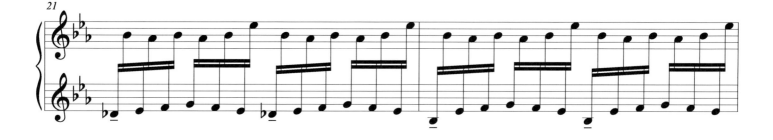

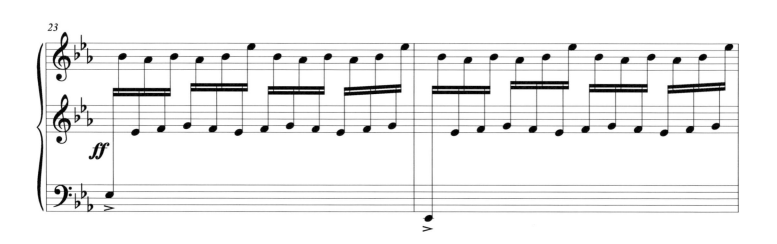

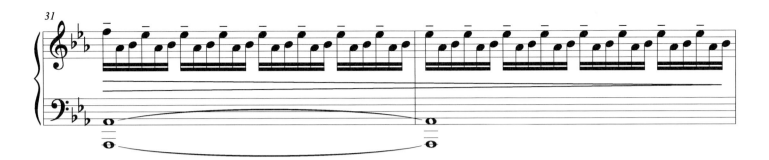

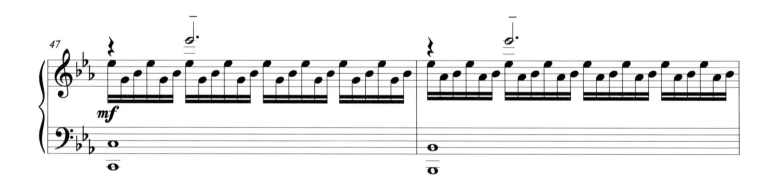

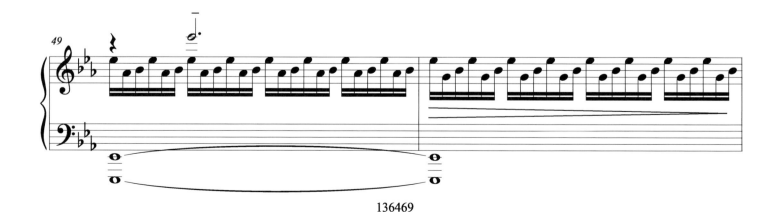

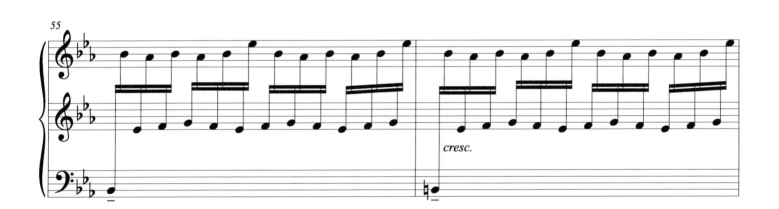

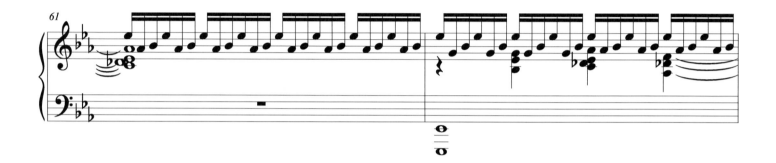

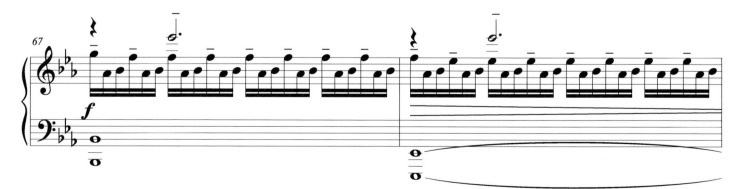

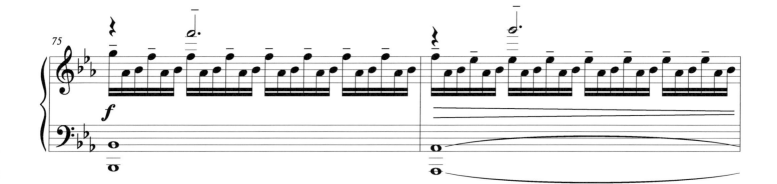

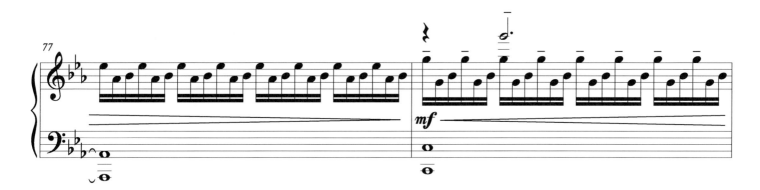

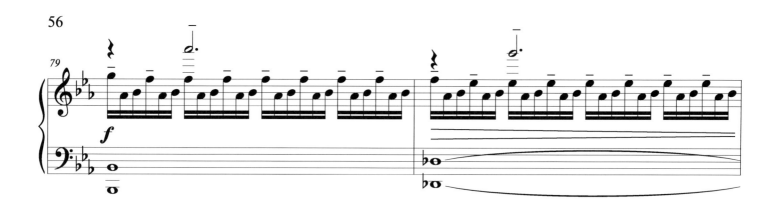

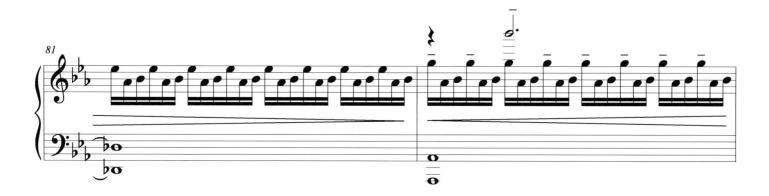

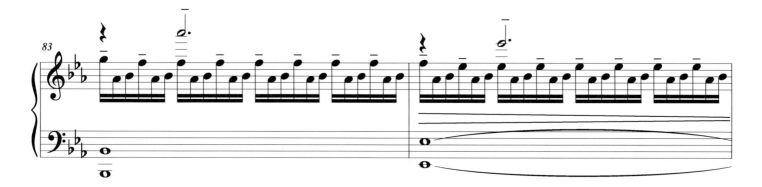

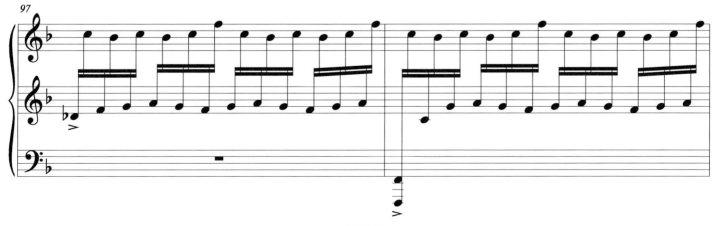

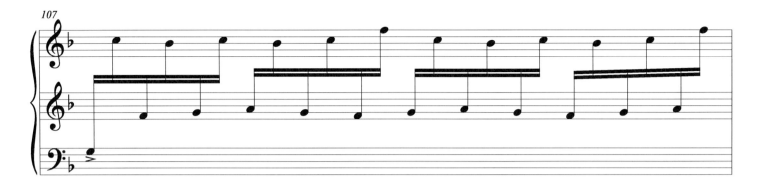

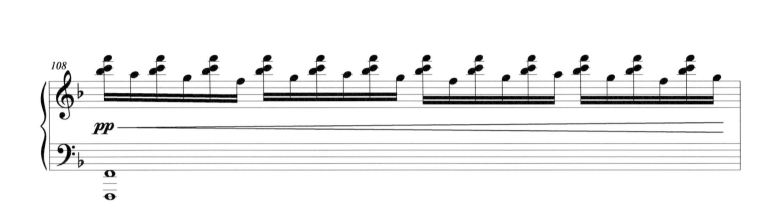

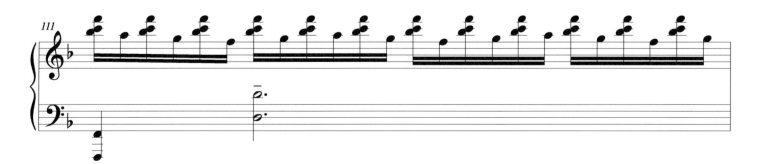

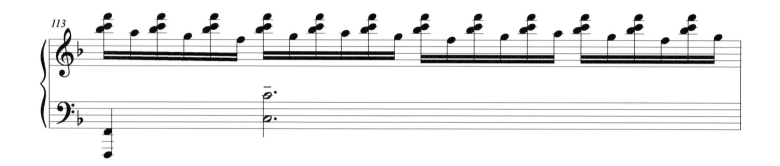

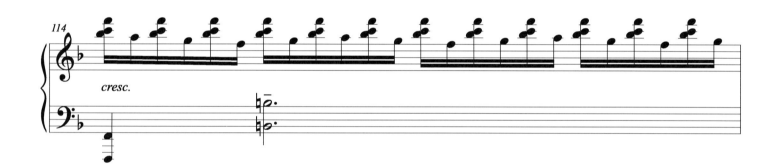

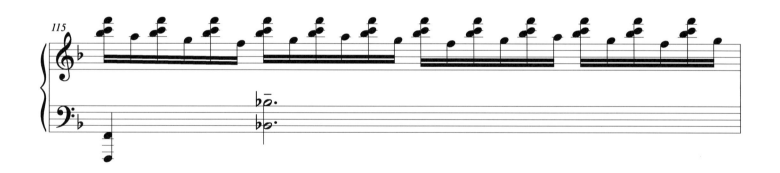

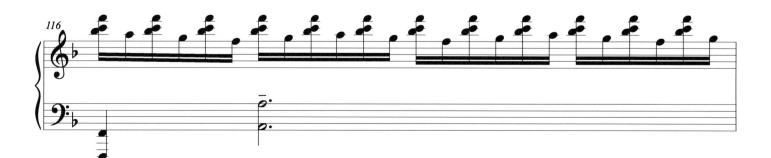

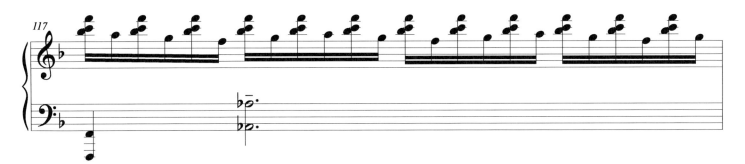

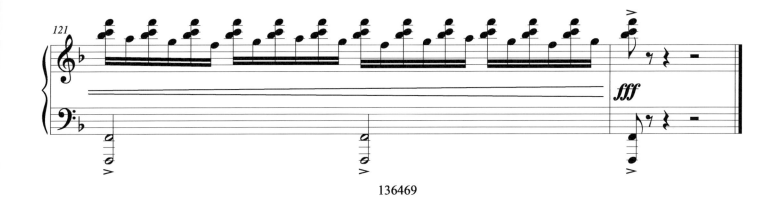

136469

Ludovico Einaudi

CERCHIO

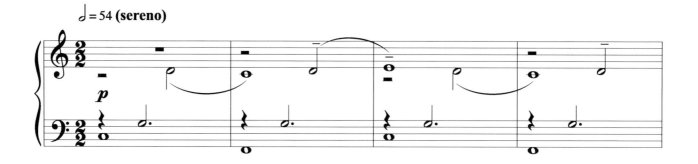

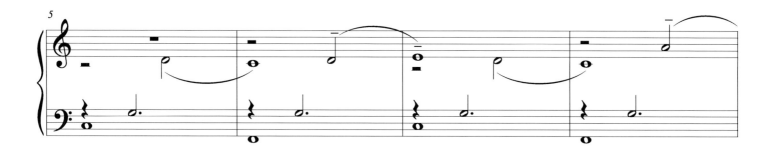

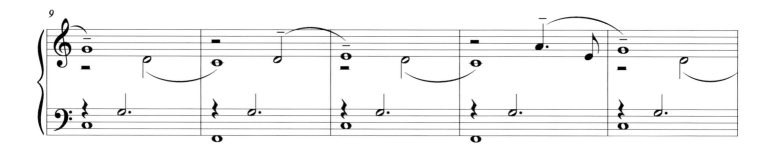

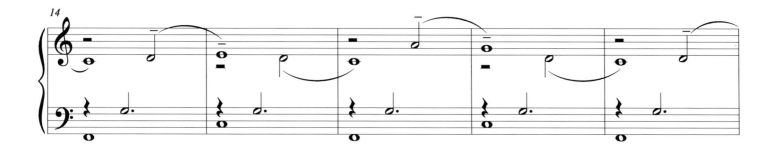

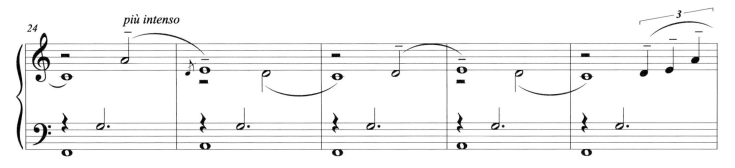

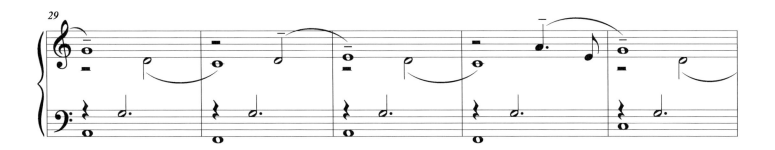

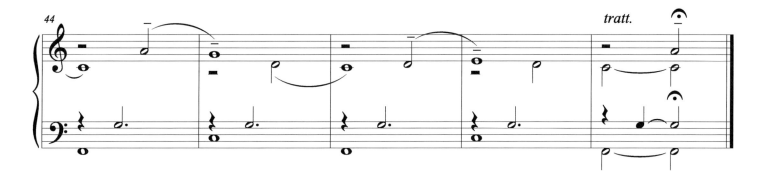

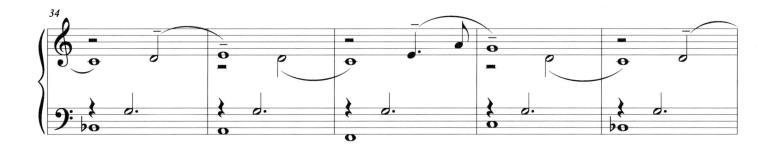

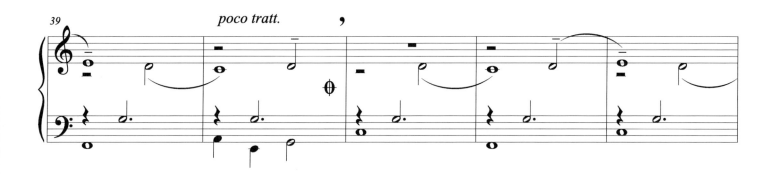

Ludovico Einaudi

RITORNO

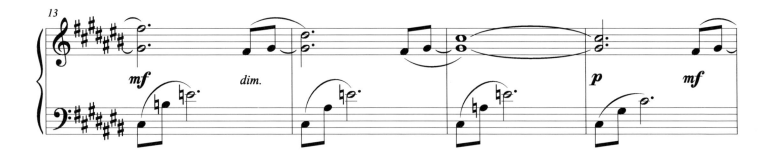

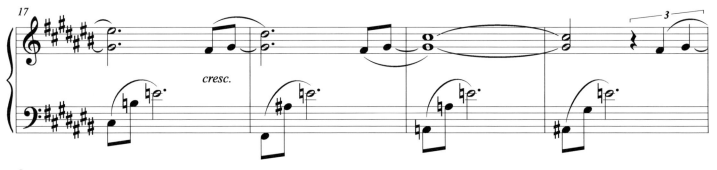

136469

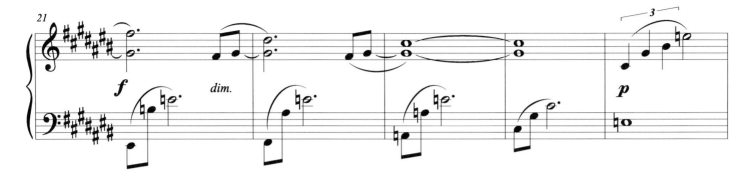

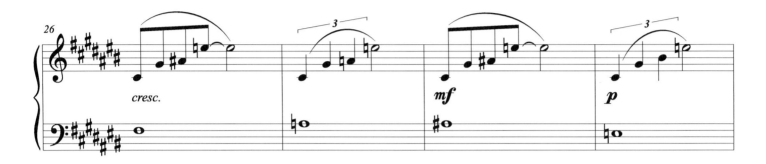

Ludovico Einaudi

NOTTE

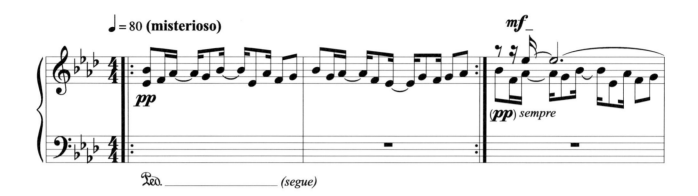

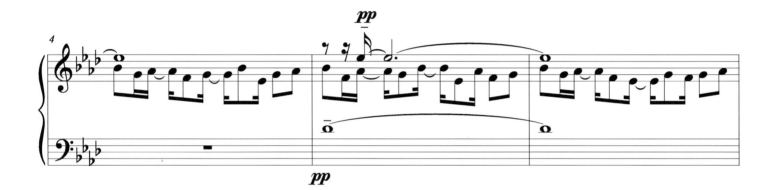

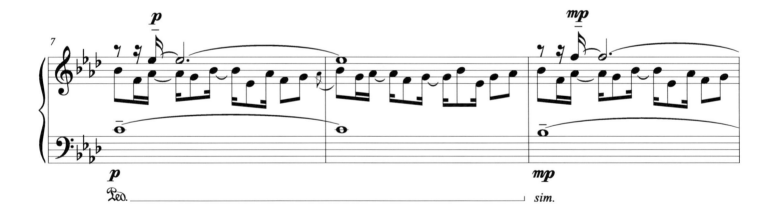

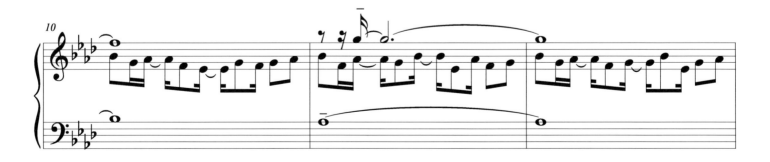

136469

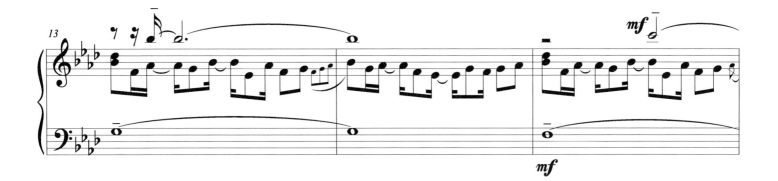

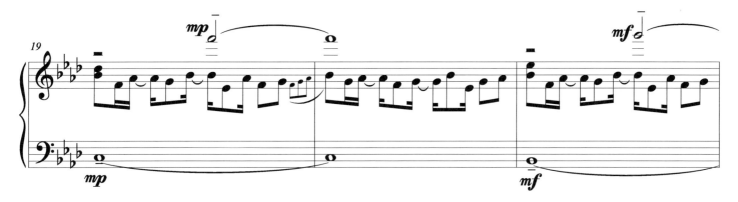

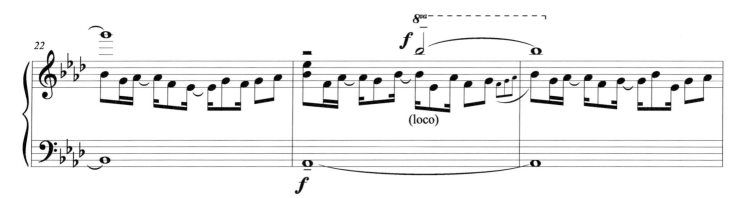

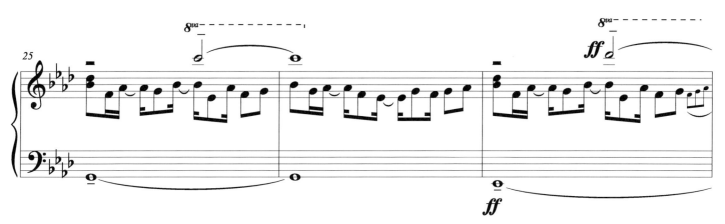

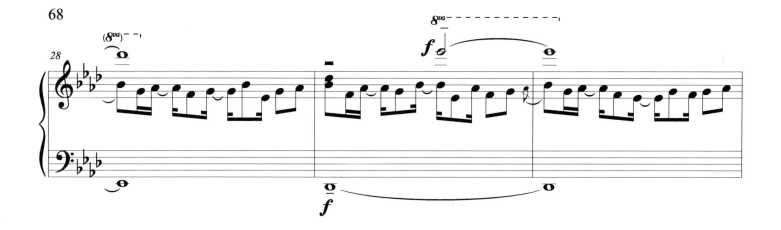

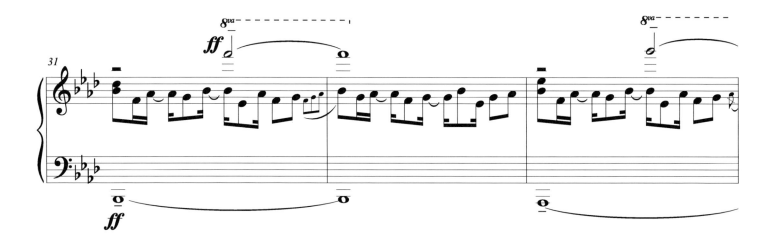

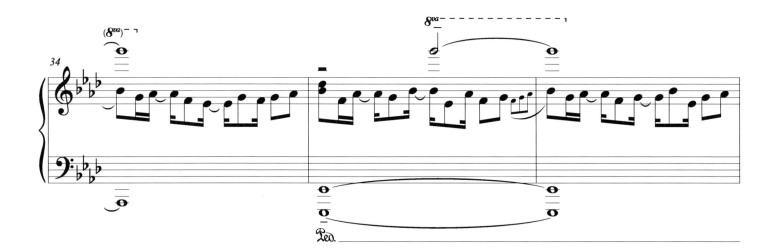

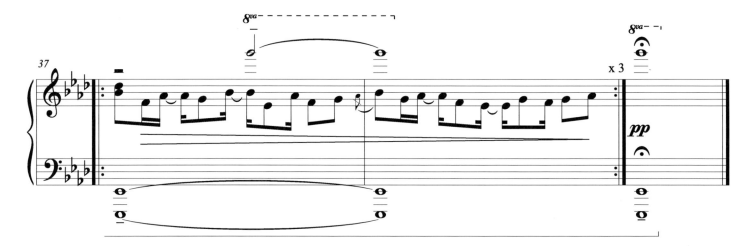